La Gatita Lucía en la granja

Lucy Cat at the farm

Catherine Bruzzone • Ilustraciones de Clare Beaton
Texto español de Rosa María Martín

Catherine Bruzzone • Illustrations by Clare Beaton
Spanish text by Rosa María Martín

1 La casa de Lucía.	2 	3

Es domingo.	La gatita Lucía duerme.	Hace sol.

1 Lucy's house.	2	3
It's Sunday.	Lucy Cat is asleep.	It's sunny.

Ésta es la mamá de Lucía.

Lucía aún está dormida.

Es tarde.

This is Lucy's Mum.

Lucy is still asleep.

It's late.

La mamá le da la leche a Lucía.   Lucía se despierta.

Mum gives Lucy some milk.   Lucy wakes up.

Lucía mira fuera.

Lucy looks outside.

16 Toma el sombrero.

17 Gracias, mamá.

18 Adiós, mamá.

La mamá le da el sombrero a Lucía.

Lucía se pone el sombrero.

Sale.

16 Here's your hat.

17 Thanks, Mum.

18 Goodbye, Mum.

Mum gives Lucy her hat.

Lucy puts on her hat.

She goes out.

Lucía camina a la granja.

Está cansada.

Lucy walks to the farm.

She's tired.

Ésta es Mimi, la tía de Lucía.

This is Lucy's Aunt Mimi.

Entran al granero.

They go into the barn.

La gallina está en el granero.

The hen is in the barn.

El perro está en el patio.

The dog is in the yard.

Las ovejas están en la colina.

The sheep are on the hill.

El pato está en la charca.

The duck is in the pond.

Las vacas están en el campo.

The cows are in the field.

El toro está enfadado.

The bull is angry.

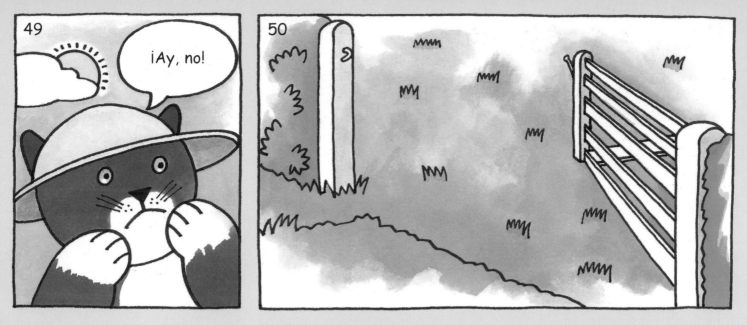

La barrera está abierta.

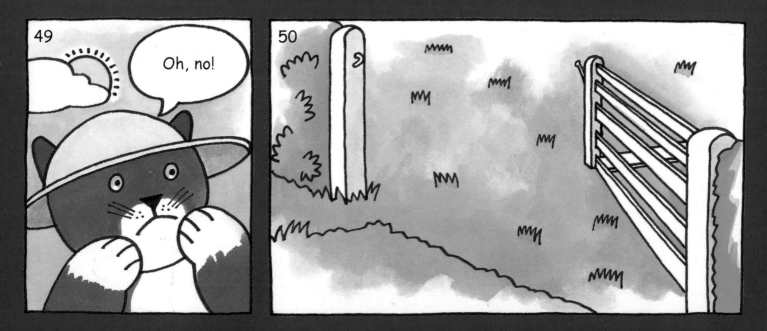

The gate is open.

El toro corre muy deprisa.

The bull runs very fast.

La gallina se va corriendo.

El perro se va corriendo.

El pato se va corriendo.

The hen runs away.

The dog runs away.

The duck runs away.

El toro se para.

Los animales están a salvo.

The bull stops.

The animals are safe.

Lucía come la nata.

Lucy eats the cream.

Parablas clave • Key words

la gatita lah *gatee*-tah cat	**hace sol** *asseh* sol it's sunny	**mamá** mam-*ah* mother, mum	**hoy** oy today	**el sombrero** el *sombrair*-o hat	**adiós** adee-*oss* goodbye
la granja lah *gran*-ha farm	**la tía** la *tee*-ah aunt	**estoy cansado,** **estoy cansada** es-*toy* kan*sah*-do/dah I'm tired	**¡hola!** oh-lah hello	**aquí está** a*kee* es-*tah* here is, this is	**allí está** ah-yee es-*tah* there is
la gallina lah *galee*-nah hen	**el huevo** el *waiv*-o egg	**el perro** el *pair*-o dog	**el hueso** el *way*-so bone	**la oveja** lah o*vay*-ha sheep	**la hierba** lah *yair*-bah grass
el pato el *pat*-o duck	**el agua** el *ag*-wah water	**la vaca** la *bak*-ah cow	**el árbol** el *ar*-bol tree	**¿qué es eso?** keh ess *es*-so what's that?	**el toro** el *tor*-o bull
la barrera lah bah-*rair*-ah gate	**no** noh no	**¡corre, corre!** *kor*-reh run quickly!	**¡para!** *pah*-rah stop!	**gracias** *gras*-see-ass thanks, thank you	**la nata** lah *nah*-tah cream